EL
PRÓXIMO PASO
Para cristianos en crecimiento

JACK T. CHICK

Chick Publications
Ontario, California

Si vive fuera de E.U.A., llame al distribuidor más cercano, o vea por el internet la lista de todos nuestros productos en: **www.chick.com/distrib.asp**

ISBN: 978-0-937958-15-5

Derechos Reservados ©1983 por Jack T. Chick, LLC

Publicado por Publicaciónes Chick
P.O. Box 3500, Ontario, Calif. 91761-1019
Tel: (909) 987-0771 • Fax: (909) 941-8128
www.chick.com/es/

Impreso en E.U.A.

CONTENIDO

CUANDO RECIBISTE A JESUCRISTO COMO TU SALVADOR, TOMASTE LA DECISIÓN MÁS IMPORTANTE DE TU VIDA.

EN AYUDARTE A VIVIR UNA VIDA CRISTIANA MÁS EFECTIVA, ESTE PEQUEÑO LIBRO TE SERÁ SUMAMENTE ÚTIL.

NACE LA BIBLIA

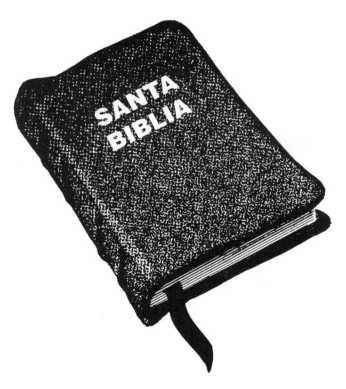

"Porque nunca la profecía fue traída por
voluntad humana, sino que los santos hombres
de Dios hablaron siendo inspirados por el
Espíritu Santo". 2 Pedro 1:21

En el primer siglo de la iglesia, el Espíritu Santo guió a los apóstoles que había escogido a que redactaran las Escrituras.

Como la iglesia primitiva andaba bien cerca de Dios en pureza y unidad, tenían el don de detectar las imitaciones de Satanás y desecharlas.

A Ananías y Safira los destruyó Dios porque con su mentira pusieron en peligro la unidad de la iglesia. (Hechos 5:1-11)

En su pureza, la iglesia primitiva podía reconocer los libros genuinamente inspirados por Dios.

Con el paso de los años, aquella pureza y unidad se fue diluyendo... y ya no podían ponerse de acuerdo en esto. Pero el Espíritu Santo, que sabía que esto iba a suceder, había completado el Nuevo Testamento antes de que la unidad se quebrara.

Satanás intentaba desesperadamente destruir a la iglesia primitiva y la Biblia.

¡VEN CON NOSOTROS, PERRO CRISTIANO!

¿CÓMO ME HALLARON?

¡SHHH!

¡ESO NO ES ASUNTO TUYO!

Los últimos esfuerzos de Roma por destruir el Nuevo Testamento tuvieron lugar durante la persecución de Diocleciano en 295-305 D.C.

PAPÁ ME HIZO PROMETERLES QUE SI LO PRENDÍAN... QUE LE DIERA ESTO A MARCELO.

¿QUÉ ES ESO?

ES UNA CARTA DEL APÓSTOL PABLO. PAPÁ ME DIJO QUE NO SE PODÍA PERDER. ES MUY IMPORTANTE.

Las preciosas cartas a las iglesias eran copiadas y puestas a buen recaudo... hasta el año 313 D.C.

Ese año, el emperador Constantino promulgó su Edicto de Tolerancia para saber cuántos súbditos suyos eran cristianos.

La época de horribles persecuciones contra la iglesia de Cristo había terminado.

9

Para ese entonces ya las *verdaderas* Escrituras estaban en los manos de los *verdaderos* creyentes.

La iglesia primitiva entera consideraba que el Antiguo Testamento era la Palabra de Dios, porque el Señor Jesucristo lo eseñó en las sinagogas y se refirió a él como las Escrituras.

Cientos de libros falsos aparecían como manuscritos. Pero contradecían la verdadera Palabra de Dios.

Los cristianos primitivos fueron examinando todos los libros y los fueron clasificando en tres categorías.

I. Los que eran universalmente aceptados.

II. Los "espurios", como "Los Hechos de Pablo", "El Pastor de Hermas", el "Apocalipsis de Pedro", las "Epístolas de Bernabé" y la "Didajé".

III. "Las Falsificaciones". Entre éstas el "Evangelio de Pedro", el "Evangelio de Tomás", el "Evangelio de Matías", "Los Hechos de Andrés", y "Los Hechos de Juan".

10

Para que un libro fuera incluido en el Nuevo Testamento tenía que ser sometido al siguiente análisis.

A. ¿Fue escrito por un apóstol o un discípulo de Cristo?

C. ¿Ha sido universalmente aceptado por todas las congregaciones de la verdadera iglesia?

B. ¿Tiene el libro un contenido altamente espiritual indiscutible?

D. ¿Hay evidencia en el libro de haber sido divinamente inspirado? Si no, era excluido.

En aquel tiempo los líderes de la iglesia, que vivieron después de los apóstoles, sólo podían autenticar lo que la iglesia primitiva ya sabía "en el Espíritu" que era genuino.

La autoridad de las Escrituras se basa...

Primero... En el Espíritu Santo

Segundo... En que el verdadero cuerpo unido en el Espíritu (los verdaderos creyentes) tenía don de discernimiento.

Tercero... En las referencias que un autor de la Biblia hace de los demás. Por ejemplo, Pedro, en 2 Pedro 3:15-16, se refiere a los escritos de Pablo como "Escrituras".

Así se juntaron los 27 libros del Nuevo Testamento.

SATANÁS LLEVA YA CASI 1500 AÑOS ATACANDO LA BIBLIA.

¡En estos días finales está todavía más desesperado!

Sabe que le queda poco tiempo.

CAPÍTULO 2

NO LEAS ESE LIBRO

"El libro de aquesta ley nunca se apartará de tu boca: antes de día y de noche meditarás en él, para que guardes y hagas conforme a todo lo que en él está escrito: porque entonces harás prosperar tu camino, y todo te saldrá bien".   Josué 1:8

ESTE ES EL LIBRO MÁS CONTROVERSIAL, MÁS ABORRECIDO Y MÁS AMADO QUE SE HAYA PUBLICADO JAMÁS. HA CAUSADO LA MUERTE DE INNUMERABLES PERSONAS Y HA CONDUCIDO A LA VIDA ETERNA A MILLONES.

A través de la historia, Satanás se ha valido de todos los medios imaginables para atacar a los que aman este libro.

Ya estamos en el Siglo XXI y Satanás ha echado mano a una técnica muy astuta para que los cristianos no lean la Biblia.

El ataque llega a través del cine y la televisión. Cada vez que pueden hacen que el malo de la historia sea un chiflado que cita la Biblia y que por lo general es peor que Frankenstein. Los creyentes reciben de otros creyentes y de perdidos el consejo de que no lean la Biblia para que no se chiflen.

(¡Bravo, otro punto para Satanás!)

En algunos países hay cristianos presos por ama la Biblia. Su único consuelo ahora es repetir los versículos Bíblicos que aprendieron de memoria antes de caer presos.

¿Tendrías el mismo consuelo tú en semejante situación? Puede ser que a ti te toque pronto.

Probablemente pasamos la mayor parte del tiempo en compañia de esa trampa de Satanás...

LA TELE

Se ha dicho que uno ve un promedio de $3\frac{1}{2}$ horas de televisión al día.

¡BASTA DE PERDER TIEMPO!

SANTA BIBLIA

¿NO SE DARÁ CUENTA DE LO QUE ME ESTÁ PIDIENDO QUE DEJE?

TV PROGRAMAS

¡Deja de ver una hora esos tontos programas de TV todos los días y ponte a estudiar la Palabra de Dios!

Han aparecido formidables cursos bíblicos publicados por muchas excelentes iglesias y organizaciones... pero por pereza o indiferencia o cualquier otra razón más o menos legítima esos cursos se llenan de polvo en las gavetas.

Este libro es tu tarea... así que guárdalo donde lo puedas ver.

Tengo un amigo cuyo amor por Cristo le brilla en el rostro. Verlo uno es avivarse.

¿Cuál es el secreto de una vida cristiana tan triunfante?

Este hombre se lee más de 20 capítulos de la Biblia todos los días, y trabaja en dos lugares, aparte de ser maestro de Biblia.

¿Crees que te estoy pidiendo que te leas 20 capítulos todos los días? ¡Claro que no!

¡Lee sólo 5!

LISTA DE EXCUSAS QUE QUIZÁS PRESENTES

- ¡No tengo tiempo!
- ¡Estoy muy cansado!
- ¡No puedo encajarlo en mi horario!
- ¡Cada vez que me pongo a leerla me entra sueño!
- ¡Es que no aprendo nada!
- ¡Mi esposa me llama fanático cuando me ve leyéndola!
- ¡No entiendo la Biblia!
- ¡Mis padres se molestan!
- ¡Dicen que uno se puede volver loco leyéndola!
- ¡Es que me hace sentir remordimientos!
- ¡Es muy aburrida!
- ¡Me da pena que me vean!
- ¡Puede ser que la interprete mal!

¡BIEN, BASTA! PERO SI ME LA LEO UNA VEZ NO TENGO QUE SEGUIR, ¿VERDAD?

¡TIENES QUE SEGUIR!

¿Acaso se cansa uno de respirar? Esta es la única forma de crecer espiritualmente. ¡Métete en la cabeza que esto tiene que ser parte de tu vida diaria!

En poco tiempo se convertirá en la parte más importante de tu vida.

¿CÓMO TE SENTIRÍAS SI EN LA OTRA VIDA TE ENCUENTRAS CON HABACUC Y LE TIENES QUE DECIR...

NO, ¡NUNCA LEÍ TU LIBRO! ¡NI SIQUIERA SABÍA QUE ESTABA EN LA BIBLIA!

PERO VAYAMOS AL GRANO... ¡TE VAS A LEER 5 CAPÍTULOS AL DÍA! A LOS 8 MESES HABRÁS LEÍDO MÁS CAPÍTULOS DE LOS QUE TIENE LA BIBLIA (1189).

¡Esto es lo que necesitas!

- *Lápices de colores*
- *Un cuaderno pequeño*
- *Una Biblia*

"Pero cuando venga el Espíritu de verdad, él os guiará a toda la verdad; porque no hablará por su propia cuenta, sino que hablará todo lo que oyere, y os hará saber las cosas que habrán de venir". **Juan 16:13**

PADRE CELESTIAL, QUE TU SANTO ESPÍRITU ME ENSEÑE Y GUÍE A TU VERDAD AL LEER LA BIBLIA. EN EL NOMBRE DE JESÚS. AMÉN.

Acostúmbrate a orar antes de leer la Biblia.

MIENTRAS VAS LEYENDO CON CUIDADO CADA CAPÍTULO, MARCA LOS VERSÍCULOS QUE TE GUSTEN CON UN LÁPIZ DE COLOR. SI ES UN VERSÍCULO EXCEPCIONAL, PON UNA MARCA AL MARGEN TAMBIÉN.

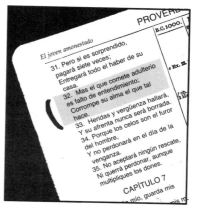

A medida que avances con el programa, encontrarás joyas escondidas en un capítulo que habías leído muchas veces. Es como si el Espíritu Santo te quitara una venda.

Anótalo en tu cuaderno para que no se te olvide.

Recuerda que estás leyendo la Palabra de Dios.

Puede ser que leas super rápido y te jactes de poder hacerlo, pero que lo que retengas esté casi en cero.

Si no aprendes nada es que estás leyendo muy rápido.

5 CAPÍTULOS AL DÍA:

UN CAPÍTULO DE CADA UNA DE LAS SEGUIENTES 5 LISTAS...

(VUELVE A COMENZAR CADA LISTA CUANDO LA HAYAS TERMINADO.)

LISTA	LISTA	LISTA
EN 436 DÍAS ESTA LISTA SE REPITE	EN 243 DÍAS ESTA LISTA SE REPITE	EN 250 DÍAS ESTA LISTA SE REPITE

LISTA 1		LISTA 2	LISTA 3	
GÉNESIS	RUT		ISAÍAS	JONÁS
EXODO	1 Y 2 SAMUEL	JOB	JEREMÍAS	MIQUEAS
LEVÍTICO	1 Y 2 REYES	SALMOS	LAMENTACIONES	NAHUM
NÚMEROS	1 Y 2 CRONICAS	PROVERBIOS	EZEQUIEL	HABACUC
DEUTERONOMIO	ESDRAS	ECLESIASTÉS	DANIEL	SOFONÍAS
JOSUÉ	NEHEMÍAS	CANTARES	OSEAS	HAGEO
JUECES	ESTER		JOEL	ZACARIAS
			AMÓS	MALAQUIAS
			ABDÍAS	

18

LISTA **4**	LISTA **5**
EN 117 DÍAS ESTA LISTA SE REPITE	EN 143 DÍAS ESTA LISTA SE REPITE
MATEO MARCOS LUCAS JUAN HECHOS	ROMANOS 1 Y 2 TIMOTEO 1 CORINTIOS TITO 2 CORINTIOS FILEMÓN GÁLATAS HEBREOS EFESIOS SANTIAGO FILIPENSES 1 Y 2 PEDRO COLOSENSES 1, 2 Y 3 JUAN 1 Y 2 JUDAS TESALONICENSES APOCALIPSIS

EL DÍA QUE EMPIECES ESTE PROGRAMA ESTARÁS LEYENDO LO SIGUIENTE:

LISTA **1**	LISTA **2**	LISTA **3**	LIS **4**
EN 436 DÍAS ESTA LISTA SE REPITE	EN 243 DÍAS ESTA LISTA SE REPITE	EN 250 DÍAS ESTA LISTA SE REPITE	EN 1... ESTA L... RE...
GÉNESIS CAPÍTULO 1	**JOB CAPÍTULO 1**	**ISAÍAS CAPÍTULO 1**	**MAT... CAPÍ...**

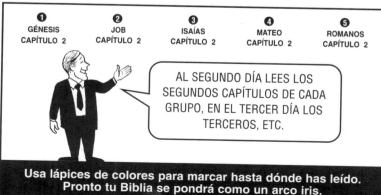

1 GÉNESIS CAPÍTULO 2   **2** JOB CAPÍTULO 2   **3** ISAÍAS CAPÍTULO 2   **4** MATEO CAPÍTULO 2   **5** ROMANOS CAPÍTULO 2

AL SEGUNDO DÍA LEES LOS SEGUNDOS CAPÍTULOS DE CADA GRUPO, EN EL TERCER DÍA LOS TERCEROS, ETC.

Usa lápices de colores para marcar hasta dónde has leído. Pronto tu Biblia se pondrá como un arco iris.

Copia la lista y colócala en la contraportada de tu Biblia.

La más grande experiencia de tu vida está comenzando.

¡BIEN, AMIGO MÍO! YA QUE TE HAS LEÍDO ESTE LIBRO DE TAN POCO VALOR, ¡VAMOS A GUARDARLOS EN UN LUGAR DONDE *JAMÁS* LO VUELVAS A VER! ¿DE ACUERDO?

¡Cálmate, Satanás!

1.) ¿QUIÉN FUE EL PADRE DE MATUSALÉN?

2.) ¿QUIÉNES FUERON LOS ÚNICOS DOS QUE SOBREVIVIERON LOS CUARENTA AÑOS EN EL DESIERTO?

3.) ¿QUIÉN FUE EL APÓSTOL A LOS GENTILES?

4.) ¿QUÉ ES EL PRINCIPIO DE LA SABIDURíA?

5.) ¿SABE ALGUIEN EL DÍA O LA HORA EN QUE CRISTO VOLVERÁ?

DE HOY EN 8 MESES PODRÁS CONTESTAR TODAS ESTAS PREGUNTAS.

CAPÍTULO 3

ORACIÓN

"Y levantándose muy de mañana, aún muy de noche, (Jesús) salió y se fue a un lugar desierto, y allí oraba". Marcos 1:35

Elías oró que cayera fuego del cielo. 1 Reyes 18:38

Sus oraciones impidieron que lloviera durante tres años… por la maldad de Israel. Santiago 5:17

Elías oró otra vez, "y el cielo dió lluvia, y la tierra produjo su fruto". Santiago 5:18

"La oración eficaz del justo puede mucho". Santiago 5:16b

Daniel se atrevió a orar y lo echaron en el foso de los leones.

Dios escuchó su oración y lo libró.

Daniel sirvió bajo estos tres hombres.

Nabucodonosor	Belsasar	Darío
Daniel fue gobernador de toda la provincia de Babilonia.	Daniel obtuvo la tecera posición en el reino.	Daniel llegó a ser uno de sus tres presidentes.

A pesar de todas sus responsabilidades, Daniel sacaba tiempo para orar tres veces al día. ¿Lo haces tú?

Vamos al Nuevo Testamento y vemos que el Señor Jesucristo oraba a Su Padre en el cielo.

Se levantaba mucho antes de que rompiera el día para tener comunión en oración (Jesús es el maestro de la oración). **Marcos 1:35**

SEÑOR, ¡ENSÉÑANOS A ORAR!

VOSOTROS PUES, ORARÉIS ASÍ: PADRE NUESTRO QUE ESTÁS EN LOS CIELOS, SANTIFICADO SEA TU NOMBRE. VENGA TU REINO. HÁGASE TU VOLUNTAD, COMO EN EL CIELO, ASÍ TAMBIÉN EN LA TIERRA. EL PAN NUESTRO DE CADA DÍA, DÁNOSLO HOY. Y PERDÓNANOS NUESTRAS DEUDAS, COMO TAMBIÉN NOSOTROS PERDONAMOS A NUESTROS DEUDORES. Y NO NOS METAS EN TENTACIÓN, MAS LÍBRANOS DEL MAL; PORQUE TUYO ES EL REINO, Y EL PODER, Y LA GLORIA, POR TODOS LOS SIGLOS. AMÉN.*

El Señor nos dio un ejemplo de cómo orar, pero repetir esta oración constantemente es vana repetición. (Mateo 6:7)

*Mateo 6:9-13

¡ESTO ES LO QUE QUERÍA ENSEÑARNOS!

1. Debemos exaltar al Padre.

2. "Venga Tu reino" se refiere a Su segunda venida en que establecerá Su reino milenial.

3. Hemos de pedir por nuestras necesidades diarias.

4. Hemos de pedir perdón. Y debemos perdonar. (Efesios 4:32)

5. Hemos de pedir protección contra el diablo, y que no seamos vencidos por la tentación. (1 Corintios 10:13)

6. Hemos de reconocer en el Señor gloria, poder y honor.

7. Hemos de alabarlo y hacerle conocer nuestra petición.

8. Hemos de terminar nuestra oración en el nombre del Señor Jesucristo.
Juan 14:13-14

La primera enseñanza pública en cuanto a la oración la dio Jesús en el Sermón del monte.

MAS TÚ, CUANDO ORES, ENTRA EN TU APOSENTO, Y CERRADA LA PUERTA, ORA A TU PADRE QUE ESTÁ EN SECRETO; Y TU PADRE QUE VE EN LO SECRETO TE RECOMPENSARÁ EN PÚBLICO. Mateo 6:6

Todos los días debes tener un rato de oración a solas con el Padre…

porque tu Padre celestial tiene deseos de hablar contigo.

Aunque tengas el corazón frío y sin deseos de orar, ve a la presencia de tu Padre amante.

No pienses en lo poco que puedes ofrecerle a Dios, sino en lo mucho que El quiere darte. (Recuerda, ¡Dios te ama!)

"VUESTRO PADRE SABE DE QUÉ COSAS TENÉIS NECESIDAD, ANTES QUE VOSOTROS LE PIDÁIS". Mateo 6:8

La fascinante historia de George Muller nos ilustra esto.

LLÉVALE TRES SACOS DE HARINA A GEORGE MULLER.

George Muller está orando…

PADRE, NECESITO 3 SACOS DE HARINA.

DIARIO

PETICIÓN
Necesito tres sacos de harina.

RESPUESTA

Muller siente que tocan a la puerta.

DIARIO

PETICIÓN
Necesito tres sacos de harina.

RESPUESTA
Tarde esa misma noche.

En el día de Pentecostés, el Espíritu Santo vino a morar en los creyentes. (Hechos 2:2-3)

Cuando una persona recibe a Jesucristo como Salvador personal, nace otra vez. Sus pecados quedan borrados… y su cuerpo pasa a ser templo del Espíritu Santo.
(1 Corintios 6:19; 2 Timoteo 1:14)

Casi inmediatamente el enemigo ataca la vida de oración del nuevo cristiano.

OBSCENIDAD Y PROFANIDAD

¿CÓMO ES QUE PIENSO ESO CUANDO ESTOY ORANDO?

Cuando esto te suceda, apela a la sangre de Jesús y demanda en el nombre de Jesús que Satanás te deje tranquilo.

ZZZZZZ

No mucho después está tan ocupado que no puede orar.

Si va a los cultos de oración le aburren las oraciones largas. A veces se queda dormido. Después de todo, piensa, Dios no va a oír sus oraciones…

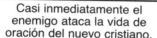

25

Si lee sobre los grandes hombre de oración como David Brainerd…

el recién convertido se siente indigno. Pero el secreto de David Brainerd era que oraba en Espíritu y en verdad.

El apóstol Juan escribió a sus "hijitos" (creyentes en Cristo) "Si decimos que no tenemos pecado, nos engañamos a nosotros mismos, y la verdad no está en nosotros". 1 Juan 1:8

"…Cristo en vosotros, la esperanza de gloria". Colosenses 1:27

Egoísmo

"Engañoso es el corazón más que todas las cosas, y perverso; ¿quién lo conocerá?" Jeremías 17:9

"Porque el deseo de la carne es contra el Espíritu, y el del Espíritu es contra la carne; y éstos se oponen entre sí, para que no hagáis lo que quisiereis". Gálatas 5:17

Pídele mentalmente al Señor que te haga "morir", que Cristo tome el control absoluto de tu vida.

"Así también vosotros consideraos muertos al pecado, pero vivos para Dios en Cristo Jesús, Señor nuestro". Romanos 6:11

ESPÍRITU SANTO

"Pero vosotros, amados, edificándoos sobre vuestra santísima fe, orando en el Espíritu Santo". Judas 20

EL ESPÍRITU SANTO TE AYUDA A ORAR.

Lee Romanos 8:26-27

Una petición del Señor

"Rogad, pues, al Señor de la mies, que envíe obreros a su mies". Mateo 9:38

Gracias a la oración de los fieles en el pasado, Dios levantó gigantes espirituales que se fueron a trabajar entre los paganos.

Livingston

David Breinard

C.T. Studd

Hudson Taylor

Trata de leerte la biografía de estos hombres. Verás el poder que tiene la oración.

En una iglesia no hace mucho, un líder misionero lloró. Nos suplicó que oráramos al Señor de la mies que enviara obreros.

EN LA INDIA HAY MÁS DE 50,000 ALDEAS QUE JAMÁS HAN OÍDO PRONUNCIAR EL NOMBRE DE JESÚS.

Nos contó que las caravanos que van del Nepal a China y al Tibet pudieran llevar Biblias y tratados del evangelio.

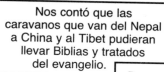

Pero no los llevan, porque no hay quien los envíe.

HERMANO, ¡ORA POR LOS PERDIDOS! ORA... ORA... ORA...

De la vida real

¡TE PROMETO QUE TE LO PAGARE!

¡ME HAS SALVADO!

Un amigo mío creyente le prestó 3,000 dólares a un hombre que estaba en grave problema.

6 meses más tarde

¡OLVÍDATE DE ESO, MI NEGRO, PORQUE _NO_ TE VOY A PAGAR!

3 SEMANAS MAS TARDE

Aquel hombre y una amiga se fueron a la tumba sin Cristo.

"Y cualquiera que haga tropezar a alguno de estos pequeños que creen en mí, mejor le fuera que se le colgase al cuello una piedra de molino de asno, y que se le hundiese en lo profundo del mar". Mateus 18:6

Jesús dijo:
"Orad por los que os ultrajan". Es nuestra responsabilidad más solemne.

Mi amigo olvidó orar por ese hombre y protegerlo así del juicio de Dios.

¡DIOS NO CONTESTÓ MIS ORACIONES! ¡NO ORO MÁS¡ ¡CONFIÉ EN SUS PROMESAS Y ME HA FALLADO!

Sí, pero fijémonos bien en el "contrato".

"Y cualquiera cosa que pidiéremos la recibiremos de él, porque guardamos sus mandamientos...

Y HACEMOS LAS COSAS QUE SON AGRADABLES DELANTE DE ÉL". 1 Juan 3:22

¡CARAY! ¡NO ME FIJÉ EN ESA PARTE!

Recuerda, Dios te observa de día y de noche.

¿Le es agradable todo lo que hacemos?

Pidámosle a Dios que nos revele lo que nos, impide tener una vida de oración efectiva.

"Pedid, y se os dará; buscad, y hallaréis; llamad, y se os abrirá". Mateo 7:7

Recuerda

¡Hasta un niño puede orar!

Orar es la tarea más santa y elevada que un hombre puede realizar.

Es canal de toda bendición, secreto de poder y vida.

CAPÍTULO 4

AMOR

"Mas Dios muestra su amor para con nosotros, en que siendo aún pecadores, Cristo murió por nosotros".

Romanos 5:8

¡ESPEREN! ¡TODAVÍA NO LES HE DADO TODO LO QUE TENGO!

¿QUÉ?

¡TENGO MÁS AQUÍ EN EL BOLSILLO!

¿ESTÁ LOCO?

¡NO! ¡ES QUE LOS AMO CON EL AMOR DE CRISTO!

¡CÓMO!

Y COMO NOS AMABA, JESÚS, EL CREADOR DEL UNIVERSO, MURIÓ EN LA CRUZ ¡PARA QUE PUDIÉRAMOS ESTAR CON ÉL EN EL CIELO!

¿QUÉ? ¿QUIEREN ACEPTARLO COMO SALVADOR Y SEÑOR?

¡CLARO! ¡YO NO SABÍA QUE ALGUIEN ME AMABA!

¡MAMÁ, ACABO DE HACERME CRISTIANO! ¡JESÚS ME AMA!

¡CÁLLATE SO ⊚!!!✦✦!

¡BASTA, PEPE! ⊚!!!✦✦! ¡VOY A LLAMAR A LA POLICÍA!

¡ME LLAMO ANTONIO!

¿LO ACUSA O NO?

¡NO! NO LO ODIO. ¡ES QUE ÉL NECESITA A CRISTO EN SU VIDA!

¡HIPO!

ESTE ES EL GRAN CAPÍTULO DE LA BIBLIA SOBRE EL AMOR... LÉELO UN DÍA SÍ Y OTRO NO.

1 CORINTIOS – CAPÍTULO 13

1. Si yo hablase lenguas humanas y angélicas, y no tengo amor,* vengo a ser como metal que resuena, o címbalo que retiñe.

2. Y si tuviese profecía, y entendiese todos los misterios y toda ciencia, y si tuviese toda la fe, de tal manera que trasladase los montes, y no tengo amor,* nada soy.

3. Y si repartiese todos mis bienes para dar de comer a los pobres, y si entregase mi cuerpo para ser quemado, y no tengo amor,* de nada me sirve.

4. El amor* es sufrido, es benigno; el amor* no tiene envidia, el amor* no es jactancioso, no se envanece;

5. no hace nada indebido, no busca lo suyo, no se irrita, no guarda rencor;

6. no se goza de la injusticia, mas se goza de la verdad.

7. Todo lo sufre, todo lo cree, todo lo espera, todo lo soporta.

8. El amor* nunca deja de ser; pero las profecías se acabarán, y cesarán las lenguas, y la ciencia acabará.

9. Porque en parte conocemos, y en parte profetizamos;

10. mas cuando venga lo perfecto, entonces lo que es en parte se acabará.

11. Cuando yo era niño, hablaba como niño, pensaba como niño, juzgaba como niño; mas cuando ya fui hombre, dejé lo que era de niño.

12. Ahora vemos por espejo, oscuramente; mas entonces veremos cara a cara. Ahora conozco en parte; mas entonces conoceré como fui conocido.

13. Y ahora permanecen la fe, la esperanza y el amor,* estos tres; pero el mayor de ellos es el amor.*

*(amor en acción)

33

CAPÍTULO 5

EL ENEMIGO

"Porque no tenemos lucha contra sangre y carne, sino contra principados, contra potestades, contra los gobernadores de las tinieblas de este siglo, contra huestes espirituales de maldad en las regiones celestes".

Efesios 6:12

NUESTRO ENEMIGO TIENE MUCHOS ROSTROS...	HE AQUÍ ALGUNOS DE SUS APODOS:	
	• DIABLO • LUCIFER • DESTRUCTOR • BELIAL • DRAGÓN • PADRE DE MENTIRAS • TENTADOR • EL MALO • LEÓN RUGIENTE • EL ANTIGUA SERPIENTE • ACUSADOR • ANGEL DE LUZ	• PRÍNCIPE DE LAS TINIEBLAS • BELZEBÚ • OPOSITOR • APOLIÓN • ABADÓN • PRÍNCIPE DE LOS DEMONIOS • EL ADVERSARIO • EL PERVERSO • ASESINO • PRÍNCIPE DE LOS PODERES DEL AIRE

Este es el diablo tal como el mundo lo ve.

La tradición nos lo presenta con cola y cuernos… mas originalmente Satanás era la criatura más hermosa jamás creada.   Ezequiel 28:12,17

Lucifer tenía en el cielo el más alto rango: guardaba el trono de Dios. Su belleza era tal que tamboriles y flautas resonaron en el día de su creación. Sí que tenía un futuro asegurado. Ezequiel 28: 13,14

Lo que causo la gran caída de Satanás fue el orgullo.

SUBIRÉ AL CIELO; EN LO ALTO, JUNTO A LAS ESTRELLAS DE DIOS, LEVANTARÉ MI TRONO, Y EN EL MONTE DEL TESTIMONIO ME SENTARÉ, A LOS LADOS DEL NORTE; SOBRE LAS ALTURAS DE LAS NUBES SUBIRÉ, Y SERÉ SEMEJANTE AL ALTÍSIMO.*

*Isaías 14:13-14

Comenzó una rebelión en el cielo. Isaías 14:12

Una multitud an ángeles se le unieron y partieron del cielo de Dios.
2 Pedro 2:4   Judas 6

Una nueva esfera les fue concedida: el cielo atmosférico es ahora dominio de Satanás.

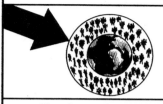

Uno de sus títulos es "Príncipe de la Potestad del Aire". Efesios 2:2

Dios creó a Adán y lo hizo señor de la tierra. Génesis 1:26

Si Satanás lograba que Adán pecara... el dominio de la tierra pasaría a manos de Satanás. Génesis 3:6 Mateo 4:8-9

Adán sucumbió ante la tentación... el hombre murió espiritualmente y se desarrolló en él una naturaleza rebelde. Romanos 7:15-25 Efesios 2:1-5; 1 Corintios 15:21-22

Satanás se convirtió en amo de la raza humana. Recibió el título de "Dios de Este Mundo". 2 Corintios 4:4

La tierra es campo de batalla por las almas humanas. 1 Pedro 5:8

TIRÉMOSLE UNA MIRADA AL HOMBRE **NATURAL** A TRAVÉS DE LOS OJOS DE DIOS.

LA BIBLIA DICE QUE ES...
- Mentiroso
- Fornicario
- Falso
- Traidor
- Sin afectos naturales
- Todos sus pensamientos son de continuo al mal.

ES HIJO DE SATANÁS
Juan 8:44

La única esperanza de salvación del hombre es la cruz de nuestro Señor Jesucristo. 1 Corintios 1:18 Apocalipsis 1:5 Gálatas 6:14

Cuando recibe a Cristo como Salvador, nace de nuevo. Pasa a ser hijo de Dios y enemigo de Satanás. Juan 1:12

Nuestro enemigo es poderoso, despiadado, cruel, fiero, sutil, y se ha propuesto destruir tu testimonio. 1 Pedro 5:8

Satanás tiene hordas de demonios, esclavos devotos, que quieren destruir al hombre y el reino de Dios. Mateo 12:26; Marcos 1:23-26, 34; 5:2-16

ESTRUCTURA DE PODER DE SATANÁS

Estos son "principes" del reino de Satanás y tienen territorios o provincias a su cargo. Daniel 10:13

Potestades – Esto se refiere al terreno político donde los espíritus malignos intentan ejercer influencia en los gobernantes, reyes presidentes, parlamentos, legislaturas, jueces, funcionarios civiles, electores, partidos políticos, tecnócratas y toda la gama de hombres y cosas que tienen que ver con el gobierno.

Cuando la llama del Evangelio languidece… los gobernantes se vuelven malos.

Una gran porción de las fuerzas de Satanás son espíritus malignos de gran poder. Su principal táctica es atacar los sentimientos y emociones de los creyentes.

¿CÓMO PUEDE DIOS HABER SALVADO A ALGUIEN TAN MALO COMO TÚ?

¡PERO SOY SALVO! LO SÉ… PIENSO… ESPERO… ¿SERÉ SALVO DE VERDAD?

"Porque por gracia sois salvos por medio de la fe; y esto no de vosotros, pues es don de Dios; no por obras, para que nadie se gloríe". Efesios 2:8-9

Los creyentes también se ven atacados de esta manera. Los terribles crímenes sobre los que informan los diarios son sin duda alguna inspirados por estos poderes malignos. El método que usan depende del individuo.

SATANÁS ATACA AL CRISTIANO DÉBIL Y DESOBEDIENTE

- JUGUETEAR CON EL OCULTISMO
- Y CON LA ASTROLOGÍA
- DESCUIDAR LA LECTURA DE LA BIBLIA
- AMAR AL MUNDO
- QUITAR LOS OJOS DEL SEÑOR
- LUJURIAR
- DESOBEDECER
- SER ORGULLOSO

CONFUSIÓN
MALOS PENSAMIENTOS
DUDAS

¿CÓMO PUEDE UN CRISTIANO VENCER ESTOS PROBLEMAS?

1. Reconocer su necesidad
2. Arrepentirse
3. Reprenderlos en el nombre de Cristo
4. Resistir al diablo
   Santiago 4:7

"Vestíos de toda la armadura de Dios, para que podáis estar firmes contra las asechanzas del diablo". Efesios 6:11

CUANDO UN CRISTIANO ESTÁ **MUERTO** AL **YO** Y **VIVO** A **DIOS**...

Satanás huye de los cristianos que están...

1. **Saturados de la Palabra de Dios**
2. **Llenos del Espíritu Santo**

Satanás no ataca a un cristiano sin permiso.

**1.
NUNCA SOBRESTIMES A SATANÁS.**

**2.
NUNCA LO SUBESTIMES.**

CUANDO UN CRISTIANO RECIBE UN ATAQUE DE SATANÁS...

A. Si está andando con el Señor, redunda siempre para la gloria de Dios y el bien del creyente.

B. Si **no** está en el Señor, cuando la aflicción llega, y él se queja, murmura y se rebela contra Dios y pierde su testimonio, todo el mundo le achaca la culpa.

Mateo 7:24-27

En el Antiguo Testamento, en el libro de Job... Dios descorre el telón y nos revela lo que sucede detrás del escenario.

¿QUÉ TE PARECE JOB? NO HAY NADIE COMO ÉL EN LA TIERRA.

¡PERMÍTEME ATACARLO Y VEREMOS SI TE ES FIEL!

¡TIENES MI PERMISO!

Ojo: Job era inocente y estaba totalmente ignorante de esta escena.

Job se vio lleno de tumores de pies a cabeza.

¡MALDICE A DIOS Y MUÉRETE!*

(Esposa de Job)

¡AUNQUE ME MATE CONFIARÉ EN EL!**

*Job 2:9

**Job 13:15

Satanás atacó a Job por medio de la esposa y unos amigos. Lo juzgaron, pero no en amor, sino con ánimo de crítica. Pero al final de la prueba, Job fue **inmensamente** bendecido.

LOS ATAQUES DEL DIABLO LLEGAN DE MUCHAS MANERAS... HE AQUÍ ALGUNAS...

1. Trata de matar al cristiano con impulsos locos.
2. Trata de destruir el testimonio del cristiano.
3. Trata de que el cristiano dude de su salvación.
4. Envía persecución sutil a través de amigos y familiares.
5. Una de sus armas preferidas es el desaliento.

En el instante en que pecamos... debemos confesárselo al Señor...

El ya lo sabe. Pero en el cielo está sucediendo algo que la mayoría de los cristianos desconocen. Allí es donde Satanás se presenta como acusador de nuestros hermanos.

MIRA LO QUE SATANÁS HACE CONTRA EL CRISTIANO

¿VISTE? ¡EMILIA REYES PECÓ! ¡ES UNA PERDIDA! ¡YA ES MÍA!

¡SEÑOR, PERDÓNAME!*

PADRE, ELLA YA LO HA CONFESADO. SE PECADO ESTÁ CUBIERTO POR MI SANGRE. ¡ES HIJA TUYA!**

*1 Juan 1:9   **1 Juan 2:1

EL MAS GRANDE TRIUNFO DE SATANÁS... SERIA QUE NADIE CREYERA EN SU EXISTENCIA.
Apocalipsis 12:9 y 20:3

HAY MUCHOS GRANDUADOS DE ESCUELAS TEOLÓGICAS QUE NO CREEN QUE EXISTA EL DIABLO COMO PERSONA.

UNA DE LAS MÁS FORMIDABLES ARMAS DE SATANÁS ES LA RELIGIÓN... HE AQUÍ ALGUNAS DE SUS RELIGIONES Y ARTIMAÑAS:

• CIENCIOLOGÍA	• MAOÍSMO	• ESPIRITISMO	• INSTITUCIÓN CATÓLICA ROMANA*
• BAHAÍSMO	• JUDAÍSMO	• IGLESIA HOMOSEXUAL	
• TEOSOFÍA	• IGLESIA DE SATANÁS	• MISTICISMO ORIENTAL	• PERCEPCIÓN EXTRA-SENSORIAL
• BUDISMO	• UNITARIOS		
• HINDUISMO	• CIENCIA DE LA MENTE	• ROSACRUCIANISMO	• QUIROMANCIA
• TAOÍSMO	• CIENCIA CRISTIANA	• REENCARNACIÓN	• MAGIA NEGRA
• ISLAMISMO	• METAFÍSICA	• ASTROLOGÍA	• SATANISMO
• CONFUCIANISMO	• VUDUISMO	• CARTAMANCIA EGIPCIA	• MORMONISMO
• MEDITACIÓN TRASCENDENTAL	• HARI KRISHNA	• OUIJA	• MASONERÍA
	• TESTIGOS DE JEHOVÁ		*(Lee **Alberto** Los Cruzados)

AQUÍ TIENEN OTRA BUENA ARTIMAÑA

¡DICEN QUE LA BIBLIA ES LA PALABRA DE DIOS! ¡ABSURDO!

Satanás tiene pastores liberales diseminados entre todras las iglesias protestantes

ESTOS SON LOS SADUCEOS DEL SIGLO XXI.

MUCHOS NIEGAN O CONFUNDEN LO SIGUIENTE:

1. El nacimiento virginal
2. La deidad de Cristo (Cristo como Creador)
3. La expiación por su sangre
4. Su muerte, sepultura e resurrección
5. La 2da. venida de Cristo
6. La Biblia es la Palabra de Dios inspirada
7. El castigo eterno en el lago de fuego para los perdidos

Si su pastor niega cualquiera de estas cosas... vaya a la iglesia donde se predique la Biblia.

LA POSESIÓN DEMONÍACA PREVALECE HOY MÁS QUE EN LOS TIEMPOS DE CRISTO.

ME TIENE DESCONCERTADO. ¡NADA DA RESULTADOS!

En algunos hospitales, los médicos han tenido que tratar a jóvenes que han andado en drogas o metidos en el ocultismo... en muchos caso los esfuerzos médicos han sido inútiles... los médicos están ante lo oculto.

Al Dr. Edward Atkins le llegó un paciente que no respondía ni a los tratamientos ni a la oración... este médico ecomprendió que estaba frente a los poderes de las tinieblas, y en el nombre de Jesús los echó fuera. Revista *Guidepost*, agosto, 1972

EL ENEMIGO DE LAS ALMAS *NO* ES DIVINO. SATANÁS NO ES MÁS QUE UN SER CREADO. ES UN ÁNGEL CAÍDO CUYO FINAL SERÁ EL LAGO DE FUEGO. SATANÁS TRAICIONA A TODO EL QUE LO SIGUE. PREPARA GUERRAS Y ARROJA MULTITUDES AL INFIERNO. PROMETE PODER Y RIQUEZAS A LOS QUE CONFÍAN EN ÉL. MÁS TARDE LOS DEJA EN EL AIRE, DEFRAUDADOS.

ES UN DESTRUCTOR Y AMO CRUEL. SUS SEGUIDORES SE VUELVEN A LAS DROGAS, AL LICOR, ETC. Y TERMINAN ENFERMOS, MISERABLES, Y VAN A PARAR A UNA TUMBA SIN CRISTO.

LA BIBLIA NOS DICE QUE SATANÁS SERÁ DOMINADO POR EL SEÑOR JESUCRISTO EN SU SEGUNDA VENIDA.

**JESÚS ASUME EL GOBIERNO MUNDIAL DESDE JERUSALÉN...
LA BESTIA Y EL FALSO PROFETA SON ARROJADOS AL LAGO DE FUEGO.***

SATANÁS ES ATADO 1000 AÑOS. AL FINAL DEL MILENIO, SATANÁS QUEDA EN LIBERTAD POR UNA BREVE TEMPORADA PARA ENGAÑAR A LAS NACIONES. ENTONCES ES LANZADO TAMBIÉN AL LAGO DE FUEGO DONDE YA ESTÁN LA BESTIA Y EL FALSO PROFETA.

NOTA INTERESANTE: 1000 AÑOS DESPUÉS LA BESTIA Y EL FALSO PROFETA TODAVÍA ESTÁN VIVOS .   *Apocalipsis 19:20   **Apocalipsis 20:10

ESE SERÁ EL FINAL DE SATANÁS.

TODOS LOS QUE HAYAN MUERTO EN SUS PECADOS PASARÁN LA ETERNIDAD CON ÉL.
(Apocalipsis 20:15 y 21:8)

¡JESÚS ES EL SEÑOR!

"Se inclinarán hacia ti los que te vean, te contemplarán, diciendo: ¿Es éste aquel varón que hacía temblar la tierra, que trastornaba los reinos...?"   Isaías 14:16

Pero si has nacido de nuevo por fe en Cristo, ¡regocíjate!
Tú reinarás con Jesucristo en la gloria.   Apocalipsis 5:10

CAPÍTULO 6

PELIGROS

"Mas vestíos del Señor Jesucristo, y no hagáis caso de la carne en sus deseos". Romanos 13:14

MUCHOS CRISTIANOS FERVIENTES HAN SIDO ELIMINADOS PORQUE EL TESTIMONIO SE LES HA ARRUINADO.

1 Corintios 9:27

…Y SE PUEDE ARRUINAR CON COSAS PEQUEÑAS.

¡QUESADA SÍ QUE VIVE LO QUE PREDICA!

AHÍ LO TIENES TRABAJANDO HASTA TARDE OTRA VEZ… ¡ES UN *BUEN* HOMBRE!

QUIZÁS DEBO ACEPTAR A CRISTO COMO ÉL ME LO HA PEDIDO TANTAS VECES.

CARAY, BETTY QUERÍA QUE LE LLEVARA UNAS PRESILLAS Y OLVIDÉ COMPRARLAS AL MEDIODÍA.

QUIZÁS DEBO HABLAR CON ÉL SOBRE EL SEÑOR.

¡BUENO, LE LLEVARÉ ESTA CAJA DE PRESILLAS Y MAÑANA LA REPONGO!

¿QUÉ ESTÁ HACIENDO?

¡AH LADRÓN @!!!✱✱!

"Procurando hacer las cosas honradamente, no sólo delante del Señor sino también delante de los hombres". 2 Corintios 8:21

¡EN LA PRIMERA OPORTUNIDAD LO VOY A DESPEDIR! ¡CONQUE CRISTIANO! ¡PRIMERO MUERTO ANTES DE HACERME CRISTIANO!

Quesada destrozó su testimonio… quedó eliminado.
1 Corintios 9:27

ALGUNOS OBREROS CRISTIANOS HAN QUEDADO ELIMINADOS PORQUE NO SE HICIERON ACOMPAÑAR DE ALGUIEN AL VISITAR A UNA PERSONA DEL SEXO OPUESTO. SATANÁS NO PIERDE OPORTUNIDAD Y CAEN EN TENTACIÓN.

¿DICES QUE A TI NO TE PUEDE SUCEDER?

El rey David ya tenía 50 años cuando vio a Betsabé.
Lee 2 Samuel 11

HOY VEMOS SEXO POR TODAS PARTES

SI QUIERES UNA BUENA FUENTE DE FORTALEZA PARA RESISTIR ESTE PECADO, LEE LO SIGUIENTE:

Génesis, capítulo 39
Proverbios, capítulos 6 y 7
1 Corintios 6:18
1 Corintios 7:1-3

MANTENTE SIEMPRE EN GUARDIA… PUEDES ARRUINAR TU TESTIMONIO Y DEJAR DE SERLE ÚTIL AL SEÑOR.

CAPÍTULO 7

APARTADOS

"Por lo cual, salid de en medio de ellos, y apartaos, dice el Señor, y no toquéis lo inmundo; y yo os recibiré". 2 Corintios 6:17

¿YO UN EMBAJADOR!

@!!!✧✧! ¡ABORREZCO A ESA GENTE!

¡SON UNOS SANTURRONES!

NO SOLO ERES EMBAJADOR DE CRISTO. ¡AHORA ERES HIJO DE DIOS EN VEZ DE HIJO DEL DIABLO! ¡ERES COHEREDERO CON CRISTO Y REINARÁS CON EL POR TODA LA ETERNIDAD!*

*2 Corintios 5:20; Juan 1:12; Romanos 8:17; Romanos 8:28; 2 Timoteo 2:10; 2 Timoteo 2:12

Jesús dijo: "Si el mundo os aborrece, sabed que a mí me ha aborrecido antes que a vosotros".   Juan 15:18

¿QUE VOY A REINAR?

PERTENECES AL SACERDOCIO REAL.* ERES REY Y SACERDOTE. ES MÁS, SI DIOS TE PERMITIERA VER LO QUE TIENE PARA TI, NO TE CABRÍA EN LA CABEZA.**

*1 Pedro 2:5; Apocalipsis 1:6
**1 Corintios 2:9

OYE… ¡ENTONCES AHORA SÍ QUE SOY ALGUIEN!

Recuerda que la Biblia dice que "Así que, el que piensa estar firme, mire que no caiga".

1 Corintios 10:12

¡DÉJATE DE ORGULLO! ¡TÚ **NO ERES NADA** SIN CRISTO!

49

¿CÓMO DEBO ACTUAR? ¿COMO UN REY?

NO, ¡COMO UN SIERVO! ¡CRISTO NOS DIO EL EJEMPLO! NO PECÓ, NO RESPONDIÓ CUANDO LO INSULTARON. CUANDO LE TOCÓ SUFRIR, NO JURÓ TOMAR VENGANZA. ¡LO DEJÓ TODO EN LAS MANOS DE DIOS, QUE ES SIEMPRE JUSTO!*

*1 Pedro 2:23

¡YO NO PODRÍA PONER LA OTRA MEJILLA!*

SI PODRÁS. SI ESTÁS MUERTO A TI MISMO Y VIVO AL SEÑOR,** EL ESPÍRITU SANTO TOMARÁ LAS RIENDAS Y TE DARÁ PODER PARA SUFRIR POR EL.***

*Lucas 6:29

**Romanos 6:11-12
***Filipenses 1:29

¡PERO NO ME RESPETARÁN!

CUANDO VEAN A CRISTO EN TI, VERÁN TUS BUENAS OBRAS Y GLORIFICARÁN AL PADRE QUE ESTÁ EN EL CIELO.*

*Mateo 5:16

ESTÁS EN EL MUNDO, PERO NO ERES DE ÉL.* ¡ASÍ QUE REGRESA Y PON A CRISTO BIEN EN ALTO!

MEDITARÉ EN SU PALABRA DÍA Y NOCHE.** ¿DEBO HABLARLES DE MI DENOMINACIÓN?

NO TE METAS EN ESO. EMPÁPATE EN BIBLIA,*** PROFUNDÍZATE EN EL AMOR A CRISTO. ¡PONLO BIEN EN ALTO PARA QUE EL MUNDO ACUDA A EL!†

*Juan 17:14   **Josué 1:8 y Salmo 1:2   ***1 Pedro 2:2   †2 Pedro 3:18

TE HEMOS ESTADO OBSERVANDO DESDE HACE AÑOS. *¡SABEMOS* QUE ERES SINCERO! ¡HÁBLANOS DE CRISTO!

CAPÍTULO 8

AVÍSALES

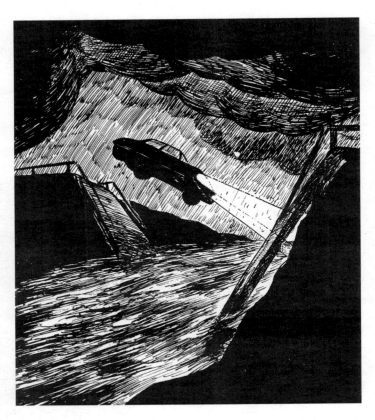

"Cuando yo dijere al impío: De cierto morirás; y tú no le amonestares ni le hablares, para que el impío sea apercibido, de su mal camino a fin de que viva, el impío morirá por su maldad, pero su sangre demandaré de tu mano". Ezequiel 3:18

¡SE CAYÓ EL PUENTE!

AHÍ VIENE UN VECINO. ¡TENGO QUE AVISARLES!

¿Y SI SE ENOJA PORQUE LO DETENGO?

¡QUIZÁS EL PELIGRO NO ES TAN SERIO!

NO QUIERO QUE ME DIGAN PÁJARO DE MAL AGÜERO. NO LE VA A GUSTAR QUE LE DE LA NOTICIA.

ADEMÁS, SI ME TOMA POR FANÁTICO ME RETIRARÁ SU AMISTAD.

¡YAAAAAH!

"Sepa que el que haga volver al pecador del error de su camino, salvará de muerte un alma, y cubrirá multitud de pecados". Santiago 5:20

53

LA GRAN COMISIÓN QUE EL SEÑOR DEJÓ A SUS SEGUIDORES ES ÉSTA:

¡ID POR TODO EL MUNDO Y PREDICAD EL EVANGELIO A TODA CRIATURA!*

*Marcos 16:15

*La buena noticia es que Cristo murió por nuestros pecados.

¡AHORA QUE SOY SALVO QUIERO QUE TODOS LO SEPAN!

¡ESCUCHEN, ESCUCHEN! ¡SOY SALVO! ¿QUÉ DE USTEDES?

¡NO! ¡NO!

¿CUÁL FUE MI FALLO? ¿PUEDES DECIRME?

¡SÍ!

Tienes que tener un plan.

Hay menos confusión si usas un plan basado en algún libro de la Biblia.

SANTA BIBLIA

54

UNO DE LOS MEJORES PLANES DE PRESENTACIÓN DE VERSÍCULOS BÍBLICO...

SE CONOCE COMO
"EL CAMINO DE LOS ROMANOS"

Para ser un ganador de almas, necesitas conseguirte un pequeño Nuevo Testamento.

¡ASI NO SE HACE!

Cuando lo ven, se asustan.

Haz anotaciones en el Nuevo Testamento que ayuden a presentar mejor el mensaje.

Armado con un lápiz de color o una pluma, abre en el libro de Romanos.

El primer versículo es Romanos capítulo 3, versículo 10.

Después que lo hayas marcado como más arriba, vayamos al próximo versículo.

El próximo es Romanos capítulo 3 y versículo 23.

Escribe siempre en el margen el siguiente versículo que debes leer.

ESTA ES LA LISTA QUE SEGUIRÁS EN EL CAMINO DE LOS ROMANOS.

① **ROMANOS 3:10**
② **ROMANOS 3:23**
③ **ROMANOS 5:12**
④ **ROMANOS 5:8**
⑤ **ROMANOS 6:23**
⑥ **ROMANOS 10:13**
⑦ **APOCALIPSIS 3:20***
⑧ **ROMANOS 10:9-10**

*Este es un desvío excelente aunque no imprescindible.

Márcalos en el Nuevo Testamento, para que no te confundas.

A VER, PRIMERO ES ROMANOS... 16... NO... 12... DIGO...

Con esta técnica, no tienes que aprenderte de memoria las citas. Eso llegará con el tiempo a medidas que uses el sistema.

Antes de hablar de Cristo, ora y pídele a Dios que to de poder a través del Espíritu Santo. Pídele que te use para ganar a alguien para Cristo.

Nunca inicies la conversación con una pregunta como "¿Eres salvo?"

¿A QUÉ SE DEDICA?

¡SOY CARPINTERO!

Habla del tiempo o del trabajo por unos minutos.

¿PUEDO PREGUNTARTE ALGO?

¡CÓMO NO!

"SI ESTA NOCHE TE TOCARA MORIR, ¿ESTÁS SEGURO DE QUE VAS AL CIELO?"

Lo más probable es que la respuesta te de pie para comenzar a presentarle el Camino de los Romanos.

SI FUERA POSIBLE ESTAR UNO SEGURO DE IR AL CIELO, ¿TE GUSTARÍA ESTARLO?

CLARO, ¿QUIÉN NO?

SI TE PUDIERA DEMOSTRAR CON LA BIBLIA QUE UNO PUEDE SABERLO. ¿HARÍAS LO QUE LA BIBLIA DICE?

¡CLARO!

No siempre las personas estan interesadas. Algunas se molestan. Se agradable. Dejale un tratado y vete a hablar con otro.

ROMANOS 3:10 DICE QUE NO HAY NADIE JUSTO, NI SIQUIERA UNO. ROMANOS 3:23 NOS DICE QUE NO HEMOS VIVIDO SEGÚN LAS NORMAS DE DIOS.

Señálale primero que tú eres pecador, y luego que él lo es también. ¡Que no se crea que él lo es y tú no!

El siguiente texto es Romanos 5:12.

EN EL PRINCIPIO, ADÁN TENÍA UNA DULCE COMUNIÓN CON DIOS. PERO EL PECADO DE ADÁN LO ECHÓ TODO POR TIERRA. ADÁN MURIÓ ESPIRITUAL Y FÍSICAMENTE.

Nosotros hemos heredado la muerte espiritual y física de Adán y Eva.

VEAMOS QUE DICE ROMANOS 5:8.

¡AJA!

¡DICE QUE CRISTO MURIÓ EN LA CRUZ EN LUGAR NUESTRO, EN SUSTITUCIÓN NUESTRA!

Romanos 6:23 – "La paga del pecado es muerte…"

UNO HACE ALGO PARA QUE LE PAGUEN. LA PAGA QUE DIOS NOS DA POR SER PECADORES ES LA MUERTE.

¿POR QUÉ ADÁN LE HARÍA CASO A EVA?

¡LO VEREMOS MÁS TARDE!

OJO: Nunca se salgan del camino para discutir doctrinas o presentar opiniones.

"…mas la dádiva de Dios es vida eterna".

SI ALGUIEN TE OFRECE UN REGALO Y TÚ LO TOMAS, EL REGALO ES TUYO, *¿NO?*

¡POR SUPUESTO!

ROMANOS 10:13 ES LA PROMESA DE QUE "TODO AQUEL QUE INVOCARE EL NOMBRE DEL SEÑOR, SERÁ SALVO". NO DICE QUE QUIZÁS SERÁ SALVO, ¡SINO QUE *LO SERÁ!*

ROMANOS 10:9 NOS DICE QUE DEBEMOS CONFESAR AL SEÑOR. QUIERES CONFESAR AL SEÑOR AHORA MISMO. PÍDELE QUE ENTRE EN TU CORAZÓN, PARA QUE PUEDAS ESTAR **SEGURO** DE QUE ERES SALVO.

Apocalipsis 3:20 es otra promesa. Dice que Cristo está a la puerta de nuestras vidas. Quiere entrar en nuestro corazón y ser el centro de nuestra vida. Dice que entrará si se Lo pedimos.

¡SÍ!

VOY A ORAR POR TI, SEÑOR, GRACIAS POR LA OPORTUNIDAD DE PRESENTARTE A MI AMIGO, ANTONIO. AHORA TE TOCA A TI ORAR, ANTONIO.

¡YO TE AYUDO!

¡YO NO SÉ ORAR!

SI QUIERES DE VERDAD ACEPTAR A CRISTO, DI ESTAS PALABRA: SEÑOR, SÉ QUE SOY PECADOR *(DEJA QUE ANTONIO REPITA LO MISMO).* TE PIDO QUE PERDONES MIS PECADOS *(DEJA QUE LO REPITA)* Y QUE ENTRES EN MI CORAZÓN PARA SER MI SEÑOR Y SALVADOR *(DEJA QUE LO REPITA).* EN EL NOMBRE DE JESUCRISTO *(DEJA QUE LO REPITA).* AMÉN

¿DE VERAS ERAS SINCERO AL REPE-TIRLO?

¡SÍ!

ENTONCES, SEGÚN ROMANOS 10:13, TÚ HAS INVOCADO SU NOMBRE, Y POR LO TANTO ERES SALVO. ¿NO CREES QUE ÉL CUMPLE SU PROMESA?

SI MUIERAS ESTA NOCHE, ¿IRÍAS AL CIELO?

¡SÍ!

¿CÓMO LO SABES?

¡DIOS LO DICE!

PUES AHORA VE Y CUÉNTASELO A OTRO, COMO NOS MANDA ROMANOS 10:9.

ADEMÁS: "A cualquiera, pues, que me confiese delante de los hombres, yo también lo confesaré delante de mi Padre que está en los cielos". Mateo 10:32

58

¿POR QUÉ NO VIENES A LA IGLESIA CONMIGO Y HACES UNA CONFESIÓN DE FE PÚBLICA?

LO HARÉ. GRACIAS.

ACABAS DE NACER DE NUEVO ESPIRITUALMENTE Y TIENES QUE CRECER. LA BIBLIA ES EL ALIMENTO ESPIRITUAL. TIENES QUE LEERLA TODOS LOS DÍAS.

Cuando lleves a alguien a los pies de Cristo, regálale un ejemplar de este libro.

Así sabrá bien lo que tiene que hacer.

MIENTRAS MEJOR CONOZCAS LA BIBLIA, MÁS FÁCIL TE SERÁ ENSEÑÁR EL CAMINO DE LOS ROMANOS.

NO TE DESALIENTES SI TE DIGO QUE **TÚ** NO VAS A PODER SALVAR A NADIE.

¡CÓMO!

VAS A SER UN TESTIGO DE DIOS. **EL** PREPARA LOS CORAZONES. **EL** ATRAE A LOS PECADORES Y **EL** SALVA A LOS PECADORES.

HE AQUÍ ALGUNAS REGLAS MUY IMPORTANTES.

1. Acostúmbrate a vestir correctamente. Tú representas al Rey de Reyes.

2. Cuídate del mal aliento. Chupa pastillas de menta.

3. Sal con otra persona.

RECUERDA, LOS OJOS DEL MUNDO ESTÁN BUSCANDO A CRISTO EN TI.

Habrá veces en que no te será fácil presentarle el evangelio a alguien.

Pero hay algo que siempre puedes hacer.

Puedes aprovechar nuestro muy aceptado ministerio de tratados.

¿QUIÉN, YO?

¿POR QUÉ NO?

¿TE ATREVES A DEJAR UN FOLLETO EN UNA CASILLA DE TELÉFONO?

PUES NO SE. QUIZÁS SÍ. ¿POR QUÉ NO?

¿Y QUÉ DE HACERLO...
- ✓ EN BAÑOS
- ✓ ENCIMA DEL BUZÓN
- ✓ ENCIMA DE UN EXPENDIO DE PERIÓDICOS
- ✓ EN LOS BANCOS DE LA FERIA
  - • EN LOS TAXIS
  - • EN LIBROS DE BIBLIOTECAS
  - • EN ESTANTES DE REVISTAS
  - • EN BOLSILLOS VACÍOS
  - • EN COCHES ALQUILADOS
  - • EN EL PARADERO DE ÓMNIBUS
  - • EN EL ASIENTO DEL ÓMNIBUS
  - • EN UNA MESA DE LA ENTRADA DE LA IGLESIA
  - • EN LAS CÁRCELES?

¿PODRÍAS
insertar
colocar
lanzar
situar

3 folletos

EN UN BUEN LUGAR TODOS LOS DÍAS?

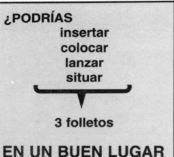

¡CLARO QUE SÍ! ¡*CUALQUIERA* PUEDE HACERLO! ¡SERÁ *DIVERTIDO*!

¿SABES A CUÁNTOS PUEDES LLEGAR EN UN AÑO?

¡A 1000 ALMAS QUE OIRÁN DE CRISTO!

CON ESTE FOLLETITO
PUEDES COMENZAR
UN PROGRAMA.

—————

**Y TENEMOS
MUCHOS OTROS.**

¿DA RESULTADOS?

UN AMIGO NOS DIJO QUE MAS
DE 500 SE SALVARON EN SU
VECINDAD COMO RESULTADOS
DE ESTOS FOLLETOS.

¡QUE DIOS TO BENDIGA AL
INICIAR LA MÁS EMOCIONANTE
AVENTURA DE TU VIDA!

¡Hay 90 títulos disponibles!

PUBLICACIÓNES CHICK
P.O. Box 3500, Ontario, Calif. 91761-1019 E.U.A.

Ponga su orden por teléfono al: **(909) 987-0771**
O por Fax al **(909) 941-8128**   www.chick.com/es/

A una muchacha hospitalizada le di varios tratados Chick. La joven había tomado recientemente una sobredosis de drogas. A media noche se levantó y leyó **¡Alguien Se Equivoco!** Al llegar al final repasó cuidadosamente la lista y aceptó a Cristo. B.B., Los Angeles, CA

El tratado **¿Un Creador? O ¿Un Mentiroso?** me conduijo a la salvación en Cristo y personalmente lo acepté como Señor y Salvador. S.N., Pambrum, Saskatchewan, Canada

Encontré el tratado **¡Esta Fue Tu Vida!** en el instituto de segunda enseñanza donde trabajaba. Me demostró el tipo de vida que yo estaba viviendo, perdido en el licor y en el pecado. A través de este tratado y por la gracia, el amor y la misericordia de Dios, mi esposa y yo somos ahora cristianos. R.S., Klawock, AK

Acabo de obtener un puesto en un almacén militar. Una joven con quien conversaba me dijo que se sentía muy nerviosa y que fumaba constantemente. Le di un ejemplar de **La Maquina Loca.** Al siguiente día me contó que había aceptado al Señor. D.C. Pennsylvania

Cierta joven con quien salí un día comenzó a enviarme tratados y revistas Chick. Al principio me molestó y los arrojaba a la basura. **¡Hola!** y **¡Esta Fue Tu Vida!** fueron los que más me tocaron. Tarde una noche depués de intentar infructuosamente de dormir, tomé un tratado Chick y leí la oración del pecador. Hoy día estudio en una escuela bíblica. J.T., Covina, CA

Estos folletos ganadores de almas los puede obtener en su librería evangélica.